Anne Wils

COCKTAILS & PARTYDRINKS

h.f.ullmann

COCKTAILS UND PARTY DRINKS

Ohne Frage feiern Cocktails zur Zeit ein Comeback. Sie sind nicht nur beliebt bei jüngeren Menschen, die im Trend der Zeit leben, sondern ebenso bei reiferen Zeitgenossen, die Wert auf Feinheiten und Raffinesse legen.

Als Gastgeber müssen Sie keineswegs ein Spirituosen- Großsortiment führen, um Ihre Gäste zu bewirten. Entscheiden Sie sich einfach für zwei oder drei Cocktails und servieren Sie sie mit Sicherheit und Schwung. Unser Buch bietet Rezepte für die bekanntesten Cocktails und Mix-Drinks und eine Auswahl von köstlichen Bowlen. Alle Rezepte sind für eine Person, soweit nicht anders angegeben, und enthalten Vorschläge zum Garnieren und zu den nötigen Gläsern.

Planen Sie bei der Zubereitung Ihrer Cocktails voraus. Halten Sie einen ausreichenden Vorrat an sauberen Gläsern, Eis, Mixern und Garnierungen bereit und servieren Sie die Cocktails direkt nach dem Zubereiten. Experimentieren Sie; Sie können sich dabei an den Rezepten orientieren. Genießen Sie vor allem die Freude am Zubereiten der Cocktails und am Kreieren neuer Drinks.

Das Zubereiten von Cocktails

Zum Zubereiten von Cocktails muß man sich nur wenige Techniken aneignen. *Schütteln:* Den Cocktail-Shaker halb mit Eis füllen, die Zutaten darüber gießen und gründlich schütteln, um sie zu vermischen. Der Inhalt wird dann durch ein Barsieb in das Glas abgeseiht, in dem der Drink serviert werden soll; *Rühren:* Eis in ein Rührglas geben, die Zutaten über das Eis gießen und zum Vermischen mit einem langstieligen Löffel umrühren; *Schichten:* Zubereitung im Servierglas: Fruchtsaft, Sahne oder Softdrinks in das Glas geben und den Drink mit Strohhalm und einem Cocktail- Rührstäbchen servieren.

Grundzutaten

Zu den wichtigsten Zutaten in einer Cocktailbar gehören guter Brandy, Whisky, Gin, Wodka, weißer Rum, trockener und süßer Wermut sowie Cointreau, Kahlúa (mexikan. Kaffeelikör), Baileys Irish Cream, Galliano und Crème de Cacao (Kakaolikör).

Außerdem benötigen Sie eine Reihe von Mixzutaten wie Orangensaft, Limonade, Mineralwasser und Tomatensaft. Sahne, Coconut Cream (Kokoscrème), Angostura Bitter und Grenadine (Granatapfelsirup) sollten ebenfalls nicht fehlen. Auch Garnierungen sind wichtig; halten Sie also Zitrusfrüchte, Oliven, Maraschinokirschen, Salz, Zucker und Eiweiß bereit. Bei einigen Rezepten braucht man Zuckersirup: Dazu bringen Sie einfach eine Tasse weißen Kristallzucker mit einer Tasse Wasser in einem kleinen Topf zum Kochen. Auf kleiner Flamme kochen lassen und rühren, bis sich der Zucker aufgelöst hat. Bewahren Sie den Zuckersirup in einer Flasche im Kühlschrank auf.

GRUNDAUSSTATTUNG

Zum Zubereiten von Cocktails sind nur wenige Bar-Utensilien erforderlich. Viele der wichtigsten Geräte befinden sich in Ihrer Küche. Sie brauchen:

Cocktail-Shaker: Er besteht aus zwei Teilen bzw. Kegeln, die aufeinandergesetzt werden und dicht schließen. Ein Shaker wird zur Hälfte mit Eis gefüllt, über das dann die flüssigen Zutaten gegossen werden. Setzen Sie den zweiten Teil fest auf den ersten und schütteln Sie kräftig, um den Cocktail zu mixen. Anschließend durch ein Barsieb direkt in das Servierglas abseihen.

Barsieb: Das traditionelle Sieb wird Strainer genannt. Es ist aus rostfreiem Stahl und hat eine flache Grundplatte mit Löchern sowie einen Rand aus Spiraldraht, der verhindert, daß etwas an der Seite vorbeigeht.

Rührglas: Wird zum Umrühren von Cocktails benutzt und besitzt einen Ausgießer. Sie können auch eine Glaskanne verwenden.

Meßbecher: Wir haben den üblichen Doppel-Meßbecher benutzt. Die eine Seite faßt 30 ml, die andere 15 ml. Meßbecher werden manchmal auch als Meßgläser bezeichnet.

Barlöffel: Ein langstieliger Teelöffel zum Umrühren von Cocktails.

Andere nützliche Bar-Utensilien sind unter anderem: Saftpresse, Eiszange, Teelöffel, Schneidebrett und Messer, Korkenzieher, Eishammer und Dosenöffner. Denken Sie auch an saubere Trockentücher, Cocktailspießchen, Cocktail-Rührstäbchen und Strohhalme.

GLÄSER

Um erlesene Cocktails zu reichen, ist keineswegs ein umfangreiches Gläsersortiment vonnöten; ein paar schöne Gläsersorten genügen für die meisten Drinks. Verwenden Sie stets echtes Glas und servieren Sie Ihre Cocktails nie in farbigen Gläsern, da sie vom eigentlichen Drink ablenken würden. Die Gläser sollten sauber sein und keine Spülmittelreste enthalten. Ein Tip für das Spülen und Abtrocknen von Gläsern: Nach dem Spülen, Abspülen und Abtrocknen mit einem unbenutzten Geschirrtuch nachpolieren. Wenn möglich, stellen Sie die Gläser vor Gebrauch im Kühlschrank kalt oder füllen Sie sie mit Eis, während Sie den Cocktail zubereiten.

Für die meisten Cocktails genügen folgende Gläser:

Cocktail- oder Martini-Glas: V-förmig und langstielig, damit der Drink kalt bleibt. Wird für die starken Shortdrinks verwendet.

Sektflöte: Für moussierende Drinks und Champagnercocktails. Die alte,klassische Sektschale wird heutzutage meist für sahnige Cocktails verwendet.

Großes Stielglas (Goblets): Diese Gläser sind in Größe und Form unterschiedlich. Man kann sie für fruchtige, tropische Drinks verwenden, die mit viel Eis serviert werden.

Old-Fashioned-Glas (Whiskybecher, Whisky-Tumbler): Kurzes Glas mit gerader Wandung zum Servieren von Mix-Drinks, ungesiebten Cocktails und Fruchtsäften.

Longdrinkglas (Highball-Glas): Ein hohes, geradwandiges Glas zum Servieren von kalten Mix-Longdrinks und Cocktails.

Cognacschwenker: Zum Servieren von Cognac oder Brandy, der darin sein volles Aroma entfalten kann. Auch Cocktails sehen darin phantastisch aus.

Punschglas: Zum Servieren von speziellen Kaffee-Alkohol-Mischungen und Egg-Nogs.

Auch Weingläser, Likörgläser und Sherrygläser kann man gut gebrauchen.

WHISKY SOUR

Dieser Cocktail eignet sich als erfrischender Aperitif vor dem Dinner. Den Scotch Whisky kann man auch durch Bourbon ersetzen und erhält dann einen Bourbon Sour. Für das Rezept benötigen Sie Zuckersirup (s. Seite 3).
Whisky Sour wird am besten im Old-Fashioned-Glas serviert.

Eis
45 ml Scotch Whisky
30 ml Zitronensaft
15 ml Zuckersirup
Zitronenschale

1 Eis, Whisky, Zitronensaft und Zuckersirup im Shaker durchschütteln.
2 In ein Glas mit Eis abseihen. Mit Zitronenschale dekorieren.

RUSTY NAIL

Rusty Nail ist einer der besten Gutenachtdrinks. Man nehme gleiche Mengen Scotch Whisky und Drambuie. Soll Ihr Gutenachtdrink stärker ausfallen, dann können Sie auch einen halben Meßbecher Whisky mehr nehmen.
Servieren Sie den Rusty Nail im Old-Fashioned-Glas.

45 ml Scotch Whisky
45 ml Drambuie
Eis
Zitronenscheibe

Erst den Whisky und dann den Drambuie über das Eis in dem Servierglas gießen. Mit der Zitronenscheibe dekorieren.

OLD-FASHIONED WHISKY

Dieser klassische Mix-Drink ist ein anregender Drink für den Nachmittag. Sie können dafür Scotch Whisky, Canadian Whisky oder Bourbon verwenden. Reichen Sie den Drink im Old-Fashioned-Glas.

1 Zuckerwürfel
Angostura Bitter
Sodawasser
Eis
60 ml Whisky
eingeschnittene Orangenscheibe
eingeschnittene Zitronenscheibe

1 Zuckerwürfel mit einem Dash - d. h. einem Schuß - Angostura Bitter tränken. Zuckerwürfel in Servierglas legen und einen großzügigen Dash Sodawasser dazugeben. Eis hinzufügen und umrühren, um den Würfel aufzulösen.
2 Whisky hinzufügen und mit Orangen- und Zitronenscheibe garnieren. Mit einem Cocktail-Rührstäbchen servieren.

MANHATTAN

Dieser Cocktail ist ein köstlicher Aperitif für den Abend. Je nachdem, ob man trockenen oder süßen Wermut benutzt, kann man ihn entweder auf trockene oder auf süße Art zubereiten. Ein trockener Manhattan wird mit einer Olive, ein süßer mit einer Maraschinokirsche serviert. Traditionell wird Canadian Whisky oder Rye Whisky verwendet. Man reicht ihn in einem Cocktail- oder Martiniglas.

Eiswürfel
45 ml Canadian Whisky
20 ml trockener Wermut
Angostura Bitter
1 grüne Olive
Zitronenschale

1 Whisky, Wermut und Bitter in einem Rührglas verrühren.
2 In ein Martiniglas abseihen und mit einer Olive und Zitronenschale garnieren.

WHISKY COBBLER

Dieser starke Cocktail kann vor oder nach dem Essen gereicht werden. Traditionell verwendet man Scotch Whisky und rundet das Ganze mit ein paar Schuß Brandy und Curaçao ab. Einen Dash (Schuß) erhält man, wenn man die Flasche einmal schnell kippt. Servieren Sie diesen Drink in einem großen Stielglas.

Eis
60 ml Scotch Whisky
4 Dash Brandy
4 Dash Curaçao
Orangenschale
Ananas
Minze

1 Stielglas mit Eiswürfeln füllen. Whisky, Brandy und Curaçao darübergießen und umrühren.
2 Garnieren und mit Strohhalm servieren.

MARTINI

Martinis sind ideale Aperitif-Cocktails und sollten immer gerührt, nicht geschüttelt werden. Geben Sie weniger Wermut hinzu, wenn Sie einen trockeneren Martini möchten.
Martini wird im typischen Martini-Glas oder Cocktailglas kredenzt.

Eis
75 ml Gin
15 ml trockener Wermut
Olive
Zitronenschale

1 Eis, Gin und Wermut in ein Rührglas geben und zum Vermischen behutsam umrühren.
2 In ein Martiniglas abseihen und mit Olive und Zitronenschale garnieren.

GIMLET

Gimlets sind als Aperitif vor dem Dinner beliebt. Verwenden Sie gutes Lime Cordial-Konzentrat und reichen Sie den Gimlet mit einem großzügigen Dash Soda (oder mehr, wenn Sie mögen). Im Old-Fashioned-Glas servieren.

Eis
45 ml Gin
15 ml Lime Cordial
Sodawasser
Zitronenscheiben

Eis in ein Servierglas geben, mit Gin und Lime Cordial übergießen und einen guten Dash Sodawasser dazugeben. Zitrone hinzufügen und mit einem Cocktail-Rührstäbchen servieren.

NEGRONI

Als köstliche Drinks für den Nachmittag oder den Abend liegen Negroni zunehmend im Trend. Man kann den Cocktail auch mit mehr Sodawasser etwas leichter zubereiten.
Servieren Sie den Negroni in einem Cocktailglas oder als Longdrink mit Sodawasser in einem Longdrink-Glas.

Eis
30 ml Gin
30 ml süßer Wermut
30 ml Campari
Sodawasser
eingeschnittene Orangenscheibe

1 Eis, Gin, Wermut und Campari in das Rührglas geben und zum Vermischen umrühren.
2 In ein Cocktailglas abseihen. Einen Dash Sodawasser hinzugeben und mit der Orangenscheibe garnieren.

WHITE LADY

Dieser verführerische Drink läßt sich wunderbar als Aperitif vor dem Dinner nippen. Die White Lady serviert man am besten im Cocktailglas. Sie können Ihr Glas auch mit einer Grenadine-Zucker-Crusta verzieren (siehe Seite 60).

Eis
30 ml Gin
15 ml Cointreau
15 ml Zitronensaft
1 Dash Eiweiß

1 Eis, Gin, Cointreau, Zitronensaft und Eiweiß in einen Shaker geben und gut durchschütteln.
2 Ins Servierglas abseihen.

GIN SLING

Dieser klassische Cocktail ist ein erfrischender Aperitif vor dem Dinner. Sie können anstelle von Gin auch Whisky oder Brandy verwenden.
Servieren Sie den Gin Sling in einem Longdrinkglas.

Eis
45 ml Gin
30 ml Zitronensaft
1 Dash Grenadine
Sodawasser
eingeschnittene Zitronenschale
Maraschinokirsche

Eis in das Servierglas geben. Gin, Zitronensaft und Grenadine hinzugeben und mit Sodawasser auffüllen. Mit der Zitronenscheibe und der Kirsche garnieren und mit einem Cocktail-Rührstäbchen servieren.

FALLEN ANGEL

Von diesem Cocktail gibt es zwei recht unterschiedliche Varianten.
Hier das Rezept für unseren Favoriten.
Servieren Sie diese Variante im Cocktailglas.

Eis
45 ml Gin
15 ml grüne Crème de Menthe
30 ml Zitronensaft
1 Dash Angostura Bitter
Maraschinokirsche

1 Eis, Gin, Crème de Menthe, Zitronensaft und Bitter in einen Shaker geben. Zum Vermischen gut umrühren.
2 In ein Cocktailglas abseihen und mit einer Kirsche garnieren.

SCREWDRIVER

Dieser seit jeher beliebte Drink läßt sich hervorragend als nachmittägliche Erfrischung reichen.
Man reicht den Screwdriver im Longdrinkglas.

Eis
45 ml Wodka
Orangensaft
eingeschnittene Orangenscheibe
Maraschinokirsche

Eis in Servierglas geben, Wodka hinzugeben und mit Orangensaft auffüllen. Garnieren und mit Strohhalm servieren.

HARVEY WALLBANGER

Dieser Longdrink eignet sich vorzüglich, um Abschied vom Nachmittag zu nehmen. Wahlweise kann man ihm etwas Grenadine zusetzen.
Servieren Sie ihn im Longdrink- oder im großen Stielglas.

Eis
30 ml Wodka
30 ml Galliano
Orangensaft
Orangenschale

Eis in das Servierglas geben, Wodka und Galliano hinzufügen und mit Orangensaft auffüllen. Garnieren und mit einemStrohhalm servieren.

BLOODY MARY

Wegen seiner belebenden und erfrischenden Wirkung kann man diesen Evergreen besonders gut vormittags servieren. Anstelle des Wodkas kann man auch weißen Rum, Gin oder Tequila verwenden. Bloody Marys werden in Longdrinkgläsern serviert. Sie können das Glas auch mit einer Crusta aus Selleriesalz verzieren (siehe Seite 61) und mit einer knackigen Selleriestange servieren.

Eis
1 Dash Tabasco
1 Dash Worcestershire-Sauce
1 Dash Zitronensaft
Salz
Pfeffer
60 ml Wodka
Tomatensaft
Selleriestange

1 Eis in Servierglas geben. Tabasco, Worcestershire-Sauce, Zitronensaft, Salz und Pfeffer hinzugeben und gut mixen.

2 Wodka hinzugeben, mit Tomatensaft auffüllen, gut durchmischen und mit Selleriestange servieren.

BLACK RUSSIAN

Black Russians stehen als Cocktails nach dem Abendessen hoch im Kurs. Den Kahlúa kann man durch Tía María ersetzen, oder man kann den Drink mit Sahne mixen, wodurch er zum White Russian wird. Um daraus einen Longdrink zu machen, setzen Sie Coca-Cola zu. Black Russians können im Old-Fashioned-Glas serviert werden.

Eis
45 ml Wodka
15 ml Kahlúa
Maraschinokirsche

Eis in Servierglas geben. Mit Wodka und Kahlúa übergießen und mit Maraschinokirsche und einem Strohhalm servieren.

CHI CHI

Ein verführerischer Genuß für den Nachmittag oder Abend.
Nehmen Sie ungesüßten Ananassaft und Coconut Cream
von guter Qualität.
Den Chi Chi reicht man im großen Stielglas.

Eis
45 ml Wodka
15 ml Cointreau
30 ml Coconut Cream
120 ml Ananassaft
1 Scheibe frische Ananas
Maraschinokirsche

1 Eis, Wodka, Cointreau, Coconut Cream und Ananassaft in einen Shaker füllen und zum Vermischen schütteln.
2 Ins Servierglas abseihen und mit Ananas und Kirsche garnieren.

BLUE SPRING

Dieser aparte Cocktail ist ein herrlicher Nachmittagsdrink und eignet sich ideal für Swimmingpool- und Gartenparties. Man reicht ihn im Longdrinkglas.

Eis
30 ml Wodka
30 ml Blue Curaçao
15 ml White Curaçao
Limonade
1 Scheibe frische Ananas
Maraschinokirsche

1 Eis in Servierglas geben, mit Wodka, Blue Curaçao und White Curaçao übergießen und gut umrühren.
2 Mit Limonade auffüllen und mit Ananas und Kirsche garnieren.

MAI TAI

Dieser köstliche Drink ist ein eleganter Nachmittagscocktail, den man langsam nippen und genießen sollte. Wer mag, kann noch einen Dash Grenadine hinzugeben. Wenn Sie keinen Amaretto bekommen, nehmen Sie Curaçao oder einen anderen Likör mit Orangenaroma. Mai Tais serviert man am besten in großen Stielgläsern.

Eis
60 ml weißer Rum
30 ml brauner Rum
15 ml Curaçao
15 ml Amaretto
15 ml Zitronensaft
15 ml Zuckersirup
1 Scheibe frische Ananas
1 Scheibe frische Limette
Maraschinokirsche
Frische Minze

1 Eis, Rum, Curaçao, Amaretto, Zitronensaft und Zuckersirup in den Shaker geben und gut durchmischen.
2 Frisches Eis in Servierglas geben, Mai Tai ins Glas abseihen und mit Ananas, Limette, Kirsche und Minze garnieren.

ZOMBIE

Kein Zweifel - dieser Cocktail hat es in sich. Wenn Sie Rum mögen, wird er Ihnen sicherlich gefallen. Wenn Sie lieber einen "Zombie light" wollen, nehmen Sie einfach halbe Mengen Rum. Den Zombie im Longdrinkglas reichen.

Eis
30 ml weißer Rum
30 ml brauner Rum
30 ml hochprozentiger Rum
15 ml Apricot Brandy
15 ml Cherry Brandy
60 ml Orangensaft
15 ml Limettensaft
frische Früchte zum Garnieren

1 Eis, Rum, Apricot Brandy, Cherry Brandy, Orangen- und Limettensaft in den Shaker geben und gut durchschütteln.
2 Zusätzlich Eis in das Servierglas geben und den Zombie in das Glas abseihen. Mit frischen Früchten garnieren und mit einem Strohhalm servieren.

PIÑA COLADA

Dieser ansprechende Drink ist eine Versuchung für alle Liebhaber cremiger Nachmittagscocktails. Gelingt besonders gut mit ungesüßtem Ananassaft.
Piña Colada reicht man im Longdrinkglas oder im großen Stielglas.

Eis
45 ml weißer Rum
30 ml Coconut Cream
15 ml Sahne
15 ml Zuckersirup (s. Seite 3)
Ananassaft
1 Scheibe frische Ananas
Maraschinokirsche

1 Eis, Rum, Coconut Cream, Sahne, Zuckersirup und Ananassaft in einen Shaker geben und zum Vermischen gut durchschütteln.
2 In ein Servierglas abseihen und mit Ananas und Kirsche garnieren.

DAIQUIRI

Daiquiris sind vorzügliche Abendaperitife, die man sofort nach der Zubereitung genießen sollte. Einige Rezepte beinhalten auch einen Dash geschlagenes Eiweiß zur optischen Abrundung des Cocktails. Eiweiß beeinflußt den Geschmack nicht.
Daiquiris werden im traditionellen Cocktailglas gereicht.

Eis
45 ml weißer Rum
30 ml Limettensaft
15 ml Zuckersirup (siehe Seite 3)
Spirale aus Limettenschale

1 Eis, Rum, Limettensaft und Zuckersirup in Shaker geben und zum Durchmischen gut schütteln.
2 In ein Cocktailglas abseihen und mit Limettenschale garnieren.

DAIQUIRI MIT GEFRORENEN ERDBEEREN

Diese Variante des klassischen Daiquiri hat enorm an Beliebtheit gewonnen. Für diesen Cocktail benötigen Sie einen Mixer. Geben Sie zunächst den Rum und den Likör in den Mixer und dann das Eis. Servieren Sie den Eis-Daiquiri im großen Stielglas.

45 ml weißer Rum
15 ml Erdbeerlikör
15 ml Limettensaft
6 Erdbeeren
zerstoßenes Eis
1 zusätzliche Erdbeere

1 Rum, Likör, Limettensaft, Erdbeeren und zerstoßenes Eis in den Mixer geben. Solange mixen, bis die Zutaten gut vermischt sind.
2 Den Eis-Daiquiri ins Servierglas gießen und mit der zusätzlichen Erdbeere garnieren. Mit einem kurzen Strohhalm servieren.

HEISSER BUTTERRUM

Heißer Butterrum ist ein vorzüglicher Nachtdrink für kalte Abende. Lassen Sie das Wasser beim Eingießen über die Rückseite eines Löffels laufen, damit das Glas nicht springt. Servieren Sie diesen Drink in einem großen Stielglas oder einem Punschglas.

1 TL Butter
1 TL brauner Zucker
Rumaroma
Zimt
45 ml brauner Rum
kochendes Wasser

1 Die aufgelöste Butter mit braunem Zucker, Rumaroma und Zimt verrühren, bis die Zutaten gut vermischt sind.
2 Butter in das Servierglas geben und Rum hinzufügen. Mit kochendem Wasser übergießen und gut umrühren. Sofort servieren.

BETWEEN THE SHEETS

Hier ist ein Gutenachtdrink, mit dem Sie herrlich in Morpheus' Arme sinken können.
Diesen Drink kredenzt man im Cocktailglas.

Eis
30 ml weißer Rum
30 ml Brandy
30 ml Cointreau
1 Dash Zitronensaft
Limettenschale

1 Eis, Rum, Brandy, Cointreau und Zitronensaft in Shaker geben und zum Durchmischen gut schütteln.
2 In Servierglas abseihen und mit Limettenschale garnieren.

BRANDY ALEXANDER

Dieser köstliche Drink für den Ausklang eines Abendessens ist ein Favorit bei allen Fans sahniger Cocktails. Gelingt besonders gut, wenn Sie Brandy von guter Qualität oder Cognac nehmen. Geben Sie nicht zu viel Muskat hinzu, am besten nur eine kleine Prise. Brandy Alexander wird im Cocktailglas serviert.

Eis
30 ml Brandy
30 ml Crème de Cacao
60 ml Sahne
geriebene Muskatnuß
1 Erdbeere

1 Eis, Brandy, Crème de Cacao und Sahne in einen Shaker geben und gut durchschütteln.
2 In Servierglas abseihen und mit einer kleinen Prise Muskat und einer Erdbeere garnieren.

SIDECAR

Dieser vorzügliche Aperitifcocktail wird ein Genuß für Ihre Gäste! Wenn Sie den Cocktail süßer trinken wollen, nehmen Sie gleiche Mengen von beiden Spirituosen. Verwenden Sie frischen Zitronensaft.
Der Sidecar wird im Cocktailglas gereicht.

Eis
30 ml Brandy
20 ml Cointreau
25 ml Zitronensaft
Zitronenschale

1 Eis, Brandy, Cointreau und Zitronensaft in Shaker füllen und gut durchschütteln.
2 In Servierglas abseihen und mit Zitronenschale garnieren.

BRANDY CRUSTA

Von den zahlreichen Varianten dieses klassischen Cocktails ist dies unsere Lieblingsversion. Der Rand des Servierglases muß mit einem Zuckerrand versehen werden (s. Seite 60). Wenn Sie keinen Maraschino bekommen, verwenden Sie Zuckersirup. Sie können auch den Brandy durch Gin, Rum oder Whisky ersetzen. Nehmen sie frisch gepreßten, durch ein Sieb abgeseihten Orangensaft.
Brandy Crustas werden in Sektschalen oder Cocktailgläsern serviert.

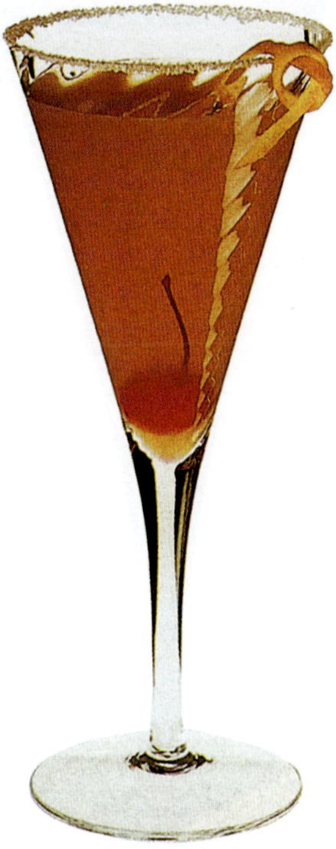

Eis
30 ml Brandy
15 ml Maraschino-Likör
30 ml Orangensaft
1 Dash Angostura Bitter
1 Maraschinokirsche

1 Eis, Brandy, Maraschino-Likör, Orangensaft und Bitter in Shaker geben und zum Vermischen gut schütteln.

2 In Servierglas abseihen und mit einer Kirsche garnieren.

BRANDY, LIME & SODA

Ein erfrischender Mix-Drink für jede Tag- und Nachtzeit. Er gelingt am besten mit frischem Limettensaft und einem Dash Lime Cordial. Servieren Sie ihn in einem Old-Fashioned-Glas.

Eis
30 ml Brandy
15 ml Limettensaft
1 Dash Lime Cordial
Sodawasser
eingeschnittene Limettenscheibe

Eis in Servierglas geben und Brandy, Limettensaft und Lime Cordial darübergießen. Mit Sodawasser auffüllen und mit Limettenscheibe garnieren.

B & B

B & B steht für Brandy und Bénédictine. Sie werden zusammen in einem Likörglas oder einem vorgewärmten Cognacschwenker serviert, damit man vor dem Trinken das berauschende Aroma besser wahrnimmt. Ein außergewöhnlicher Nachtdrink.

30 ml Brandy
30 ml Bénédictine

Brandy und Bénédictine in einen vorgewärmten Cognacschwenker füllen.

MARGARITA

Margarita ist der bekannteste Cocktail mit Tequila, dem Nationalgetränk der Mexikaner. Dieser Drink gibt Ihnen unweigerlich den richtigen 'Kick'. Üblicherweise wird der Rand des Servierglases mit einer Crusta aus Salz verziert (siehe Seite 61). Reichen Sie den Margarita im Cocktailglas.

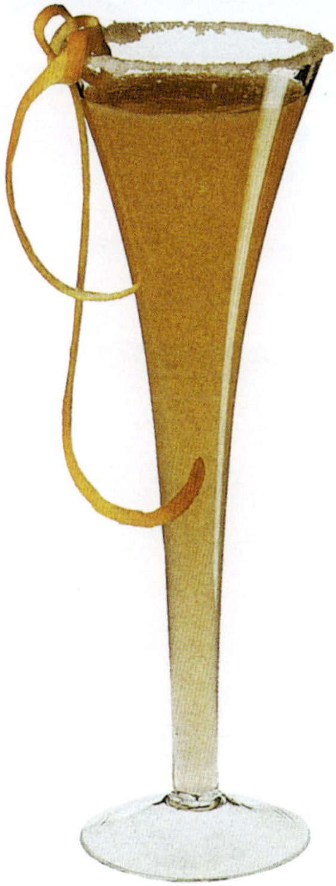

Eis
45 ml Tequila
30 ml Zitronensaft
15 ml Cointreau
1 Dash geschlagenes Eiweiß
Zitronenschale

1 Eis, Tequila, Zitronensaft, Cointreau und Eiweiß in Shaker geben und gut durchschütteln.

2 In das mit Salz-Crusta versehene Servierglas abseihen und mit der Zitronenschale garnieren.

TEQUILA SUNRISE

Auch dieser Cocktail gehört zu den Klassikern und ist als nachmittäglicher Longdrink ein Genuß. Das Eingießen der Grenadine muß man etwas üben, damit der Sonnenaufgang perfekt wird. Am besten kippt man die Grenadine rasch über dem Glas aus, so daß sie direkt bis auf den Glasboden sinkt und sich dann langsam nach oben verteilt.

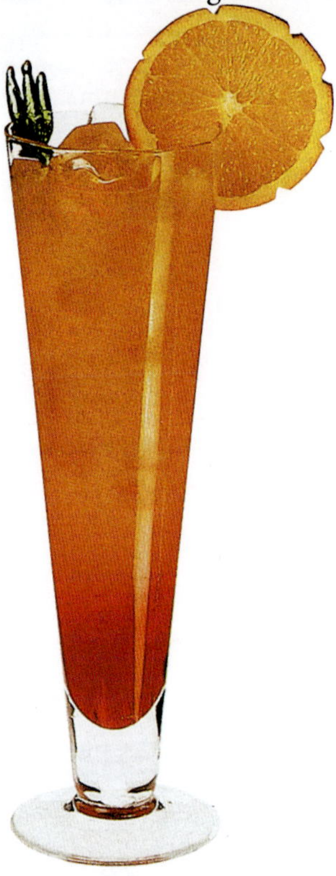

Eis
60 ml Tequila
Orangensaft
15 ml Grenadine
eingeschnittene Orangenscheibe

1 Eis in Servierglas geben. Tequila darübergießen und mit Orangensaft auffüllen.
2 Grenadine in das Glas kippen; mit Orangenscheibe und Kirsche garnieren und mit einem Cocktail-Rührstäbchen servieren.

FRAPPÉ

Alkoholische Frappés werden mit zerstoßenem Eis serviert. Sie lassen sich mit beliebigen Likören oder Spirituosen herstellen und wirken vor allem in warmen, windstillen Sommernächten sehr erfrischend. Man kann sie in großen Stielgläsern oder Cognacschwenkern servieren.

zerstoßenes Eis
30 ml Parfait Amour
15 ml Cointreau

Ein großes Stielglas mit Eis füllen. Parfait Amour und Cointreau darübergießen und sofort mit einem kurzen Strohhalm servieren.

MELON SOUR

Für diesen abendlichen Aperitif mit außergewönlichem Geschmack wird ein Melonenlikör verwendet.
Reichen Sie den Melon Sour im Cocktailglas.

Eis
60 ml Melonenlikör
30 ml Wodka
30 ml Limettensaft
1 Dash Eiweiß
1 Dash Zuckersirup (siehe Seite 3)
Melonenbällchen

1 Eis, Melonenlikör, Wodka, Limettensaft, Eiweiß und Zuckersirup in Shaker geben und zum Vermischen gut durchschütteln.
2 In Servierglas abseihen und mit Melonenbällchen garnieren.

FLUFFY DUCK

Dies ist die After-Dinner-Variante des seit jeher geschätzten Fluffy Duck. Er schmeckt voll und sahnig durch den hier verwendeten Advokat, einen niederländischen Likör aus Brandy, Eigelb und Zucker. Der Fluffy Duck wird im Cocktailglas kredenzt.

Eis
30 ml weißer Rum
30 ml Advokat
15 ml Cointreau
30 ml Orangensaft
30 ml Sahne
Orangenscheibe
1 Maraschinokirsche

1 Eis, Rum, Advokat, Cointreau, Orangensaft und Sahne in Shaker geben und gut durchschütteln.

2 In Servierglas abseihen und mit Orange und Kirsche garnieren.

GRASSHOPPER

Diesen Evergreen führt man sich am besten nach dem Essen zu Gemüte, gefolgt von einem starken Kaffee. Verwöhnen Sie Ihre Familie oder Ihre Freunde!
Grasshoppers werden am besten in Sektschalen oder Cocktailgläsern serviert.

Eis
45 ml grüne Crème de Menthe
30 ml weiße Crème de Cacao
60 ml Sahne
Maraschinokirsche

1 Eis, Crème de Menthe, Crème de Cacao und Sahne in den Shaker geben und gut durchschütteln.
2 In Servierglas abseihen und mit einer Maraschinokirsche garnieren.

GOLDEN DREAM

Dieser Cocktail enthält zwei besonders beliebte Liköre: Galliano, einen goldschimmernden Likör mit Anisgeschmack, und Cointreau, einen farblosen Likör mit Orangenaroma.
Servieren Sie den Golden Dream im Cocktailglas.

Eis
30 ml Galliano
20 ml Cointreau
20 ml Orangensaft
20 ml Sahne
1 Maraschinokirsche

1 Eis, Galliano, Cointreau, Orangensaft und Sahne in den Shaker geben und gut durchschütteln.
2 In Servierglas abseihen und mit Kirsche garnieren.

AMERICANO

Campari wird mit Kräutern und Orangenschale hergestellt und hat einen charakteristisch bittersüßen Geschmack; er wird als Aperitif - oft auf Eis - serviert und mit Soda aufgefüllt. Diese Mischung ist ein eiskalter Longdrink und paßt ausgezeichnet zu jeder Tageszeit. Man reicht den Americano im Longdrinkglas.

Eis
30 ml Campari
30 ml süßer Wermut
Sodawasser
Orangenscheibe
Zitronenscheibe

1 Eis in Servierglas geben. Campari und Wermut darübergießen und mit Sodawasser auffüllen.
2 Garnieren und mit einem Cocktail-Rührstäbchen servieren.

PIMM'S

Pimm's No. 1 wird auf Ginbasis, Pimm's No. 2 auf Brandybasis hergestellt. Beide werden zum Mixen von Longdrinks verwendet. Pimm's garniert man mit frischen Früchten und vor allen Dingen mit einem Streifen Gurkenschale, die besonders gut zum charakteristischen Geschmack des Grundstoffs paßt. Pimm's wird mit gleichen Mengen Limonade und Dry Ginger Ale aufgefüllt. Servieren Sie den Pimm's im Longdrinkglas.

Eis
45 ml Pimm's
Limonade
Dry Ginger Ale
Gurkenschale
Orangenscheibe
Zitronenscheibe

1 Eis in Servierglas geben und Pimm's dazugießen; mit Limonade und Dry Ginger Ale auffüllen.

2 Mit Gurkenschale, Orangen- und Zitronenschale garnieren.

CHAMPAGNER-COCKTAIL

Unter den Drinks, die man zu jeder Stunde des Tages trinken kann, ist der Champagner-Cocktail einer der köstlichsten. Er ist ein idealer Drink für jede Feier, ein genialer Start in den Abend. Nehmen Sie Qualitäts-Champagner und verwenden Sie Brandy oder Cognac. Champagner-Cocktails werden in Sektflöten gereicht.

1 Zuckerwürfel
1 Dash Angostura Bitter
15 ml Brandy
gekühlter Champagner

Den Zuckerwürfel in das Glas legen. Erst den Bitter, dann den Brandy hinzufügen und behutsam mit Champagner auffüllen.

RITZ FIZZ

Noch ein perlender Champagner-Cocktail, der ganz sicher jeden Abend belebt. Champagner kann praktisch mit jedem Likör verstärkt und variiert werden. Versuchen Sie es einmal mit Crème de Cassis - einem Likör mit Johannisbeeraroma - oder Cointreau. Servieren Sie den Ritz Fizz in Sektflöten.

1 Dash Blue Curaçao
1 Dash Amaretto
1 Dash Zitronensaft
gekühlter Champagner
1 Rosenblütenblatt

Curaçao, Amaretto und Zitronensaft in ein Servierglas geben und vorsichtig mit Champagner auffüllen. Zur Garnierung ein Blütenblatt auf dem Champagner schwimmen lassen.

B 52

Dieser starke Drink ist ein berauschender Gutenachttrunk, an dem man besser langsam nippt. Man kann den Cointreau durch Grand Marnier ersetzen und erhält dann einen KGB.
Man reicht ihn im Old-Fashioned-Glas.

Eis
30 ml Kahlúa
30 ml Baileys Irish Cream
30 ml Cointreau

Eis in Servierglas geben. Erst Kahlúa, dann Irish Cream und zum Schluß den Cointreau darübergießen. Mit einem kurzen Strohhalm servieren.

SAN MARTIN

Ein Cocktail für alle, die vor dem Dinner gern einen Sherry als Aperitif trinken. Fino ist die trockenste und feinste Sherrysorte. Der Drink kann gekühlt als Aperitif oder als Begleitgetränk zu einem leichten ersten Gang gereicht werden.
Servieren Sie den San Martin im Cocktailglas.

Eis
45 ml Fino-Sherry
45 ml trockener Wermut
30 ml Gin
1 grüne Olive

1 Eis in den Shaker geben und Sherry, Wermut und Gin hinzufügen. Zum Vermischen gut durchschütteln.
2 In ein Servierglas abseihen und mit einer Olive garnieren.

EXTRA SPECIAL COFFEE

Eine richtig steife Brise ist genau das richtige Wetter für unseren Extra Special Coffee. Nehmen Sie frischgemahlenen Kaffee von guter Qualität. Die Schlagsahne können Sie entweder separat oder auf dem Kaffee schwimmend servieren.
Kredenzen Sie den Extra Special Coffee in einem Punschglas.

30 ml Brandy
30 ml Tía María
15 ml Cointreau
starker schwarzer Kaffee
Zucker nach Geschmack
geschlagene Sahne

1 Gemisch aus Brandy, Tía María und Cointreau auf kleiner Flamme gerade soweit erhitzen, daß es warm wird. In Servierglas gießen.
2 Mit starkem, schwarzen Kaffee auffüllen. Zucker nach Geschmack hinzufügen und mit Schlagsahne servieren.

MICKEY MOUSE

Dieser Cocktail wird Kindern genauso munden wie Erwachsenen. Servieren Sie Mickey Mouse im Longdrinkglas.

Eis
Coca-Cola
1 Kugel Vanille-Eiscrème
geschlagene Sahne
3 Maraschinokirschen

Eis in Servierglas geben, mit Coca-Cola zu zwei Dritteln auffüllen und eine Kugel Eiscrème hinzugeben. Mit Sahne und Kirschen krönen.

EGG NOG

Egg Nogs sind ein hervorragender Start in den Tag. Ganz nach Gusto kann man einen guten Dash Brandy hinzugeben.
Tischen Sie den Egg Nog im großen Stielglas oder im Punschglas auf.

Eis
1 Ei
1 TL Zucker
1/2 TL Vanillearoma
300 ml Milch
Zimt
1 Maraschinokirsche

1 Eis in Shaker geben und Ei, Zucker, Vanillearoma und Milch dazugeben; gut durchschütteln.
2 In Servierglas abseihen, mit Zimt bestreuen und mit einer Kirsche garnieren.

BOO BOO'S SPECIAL

Dies ist ein fruchtiger, erfrischender Mix-Drink, den man an langen, heißen Tagen genießen kann.
Er wird im großen Stielglas oder im Longdrinkglas serviert.

Eis
90 ml Ananassaft
90 ml Orangensaft
15 ml Zitronensaft
1 großzügiger Dash Angostura Bitter
1 Dash Grenadine
frische Tropenfrüchte

1 Eis in Shaker geben; Ananassaft, Orangensaft, Zitronensaft, Bitter und Grenadine dazugeben. Gut durchschütteln.
2 In Servierglas abseihen und mit Früchten garnieren. Mit Cocktail-Rührstäbchen und Strohhalm servieren.

SHIRLEY TEMPLE

Bei diesem alkoholfreien Cocktail können Limonade und Sahne auch ganz nach Belieben durch Dry Ginger Ale ersetzt werden. Servieren Sie Shirley Temple im Longdrinkglas.

Eis
1 guter Dash Grenadine
Limonade
30 ml Sahne
2 Maraschinokirschen

1 Eis in Servierglas geben, Grenadine hinzufügen und mit Limonade auffüllen.
2 Mit Hilfe eines Teelöffels die Sahne als separate Schicht oben auf die Limonade fließen lassen. Dazu den Löffel auf der Oberfläche der Limonade aufsetzen und die Sahne vorsichtig in die Löffelwölbung gießen. Die Sahne fließt über den Löffelrand auf die Oberfläche des Drinks.
3 Garnieren und mit Strohhalm und Cocktail-Rührstäbchen servieren.

PIMM'S PUNCH

Alle Zutaten sollten gut gekühlt sein. Wer diese Bowle leichter machen möchte, gießt mehr Orangensaft hinein.
Die Bowle reicht für 12 - 16 Personen und kann in Longdrinkgläsern serviert werden.

Eis
375 ml Pimm's No. 2
375 ml Southern Comfort
180 ml süßer Wermut
180 ml weißer Rum
375 ml Orangensaft
1 Flasche Champagner
frisches Obst
Orangenscheiben
Zitronenscheiben

1 Eis in Bowleschüssel geben. Pimm's, Southern Comfort, Wermut und Rum hinzugeben und umrühren.
2 Orangensaft und Champagner dazugießen. Frische Früchte, Orangen- und Zitronenscheiben dazugeben. Direkt servieren.

BRANDY ALEXANDER-BOWLE

Diese Bowle bietet sich als festliche Delikatesse an. Sie reicht für gut zwölf Personen. Direkt nach dem Zubereiten in Cocktailgläsern servieren.

750 ml-Flasche Brandy
375 ml Crème de Cacao
1800 ml Crème Double
Eis
Muskat
Maraschinokirschen

1 Brandy, Crème de Cacao und Crème Double in eine große Schüssel gießen; mit dem Schneebesen solange schlagen, bis die Mischung gerade anfängt, dick zu werden.

2 Eis in die Servierschüssel geben und die Crèmemischung dazugießen. Mit Muskat bestreuen und mit Kirschen garnieren.

ANANAS-SHERRY-BOWLE

Diese erfrischende Sommerbowle ist einfach zuzubereiten und strapaziert den Geldbeutel kaum. Wer lieber eine alkoholfreie Bowle möchte, kann den Sherry weglassen. Verwenden Sie wenn möglich frische Ananas. Geben Sie das Dry Ginger Ale erst kurz vor dem Servieren hinzu; die Menge reicht für zwölf Personen. Dieses Rezept wird in Bowlegläsern serviert.

375 ml trockener Sherry
1 reife Ananas
300 ml Orangensaft
300 ml Apfelsaft
250 ml kalter schwarzer Tee
500 ml Dry Ginger Ale
2 Passionsfrüchte
Zitronenscheiben
Gurkenscheiben

1 Ananas in kleine Stücke schneiden und in Servierschüssel geben. Mit Sherry übergießen, abdecken und 30 Min. stehen lassen.
2 Orangensaft, Apfelsaft und Tee hinzugeben und umrühren.
3 Zum Servieren mit Dry Ginger Ale übergießen und das Fruchtfleisch der Passionsfrüchte sowie Zitronen- und Gurkenscheiben dazugeben.

VERZIERUNGEN

Ganz zuletzt kommen die krönenden Verzierungen, die dem Aussehen des Cocktails die besondere Note geben. Sie lassen sich sehr schnell und einfach herstellen.

1 Bei Cocktails auf Sahnebasis wird oft geriebene Muskatnuß verwendet. Wo immer möglich, sollte eine frische Muskatnuß verwendet und einfach über den Drink gerieben werden. Geben Sie acht, nicht zu viel zu nehmen, da sonst eventuell der Geschmack des Drinks überdeckt wird.

2 Schokolade ist als Krönung für Drinks mit Kaffeearoma oder sahnige Drinks beliebt. Man kann Bitterschokolade über den Cocktail reiben oder einen Sparschäler benutzen, um größere Flocken zu erhalten. Für diese Art von Verzierung kann man auch Blockschokolade verwenden.

EIS

Für Cocktails sollte man nur absolut frisches Eis verwenden. Eiswürfel sind einfach herzustellen, können in Plastikbeuteln aufbewahrt werden und lassen sich leicht zerkleinern. Es sind auch Eiswürfelschalen in lustigen Formen erhältlich. Achten Sie aber darauf, daß die Eisstücke nicht zu groß für Ihre Gläser sind.

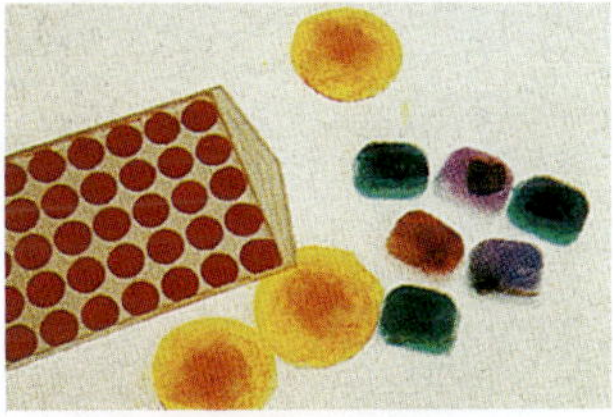

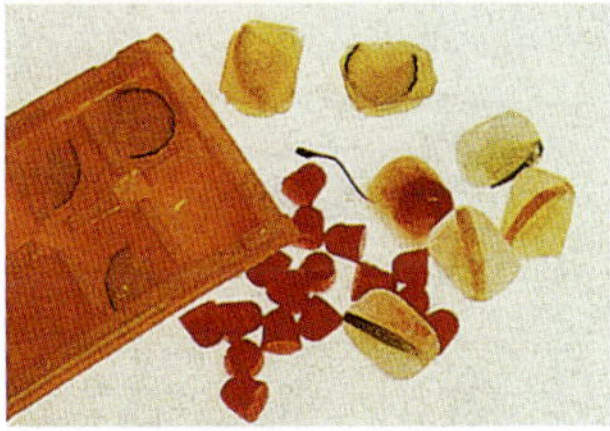

1 Eis zerkleinern: Eiswürfel entweder in ein sauberes Tuch einschlagen und mit einem Hammer zerkleinern oder eine Mixschüssel halb mit Eis füllen, soviel Wasser hinzufügen, daß das Eis bedeckt ist, und 40 Sek. mixen. Wasser abgießen und Eis sofort verwenden.

2 Eiswürfel mit verschiedenen Geschmacksrichtungen oder Farben: Fruchtsäfte, Softdrinks, Kaffee, Bitters oder Grenadine gefrieren lassen.

3 Eiswürfel mit Verzierungen: Verzierungen mit in die Eiswürfelschale legen. Versuchen Sie es mit Erdbeerhälften, Kirschen, Stücken von Kiwis, Zitronen oder Orangen. Die Eiswürfelschale halb mit Wasser füllen, Wasser etwas anfrieren lassen, Garnierung hineinlegen und dann mit etwas mehr Wasser oder Saft auffüllen.

CRUSTAS

Einen Salz- oder Zuckerrand am Glas anzubringen ist ein einfacher Trick, der Ihren Cocktails einen optischen Kick und einen süßen Touch gibt - oder aber den gewissen Biß.

Zuckerrand

1 Rand des Glases in kurz durchgeschlagenes Eiweiß eintauchen, bis er gleichmäßig benetzt ist.
2 Glas in Zucker eintauchen und vorsichtig drehen, damit der Zucker am Glasrand haften bleibt. Glas nicht zu tief in den Zucker eintauchen, da sonst der Rand zu dick wird.
3 Wenn Sie einen farbigen Zuckerrand haben möchten, tauchen Sie den Glasrand in etwas Grenadine ein und anschließend vorsichtig in den Zucker. Sie erhalten eine rosa schimmernde Crusta.

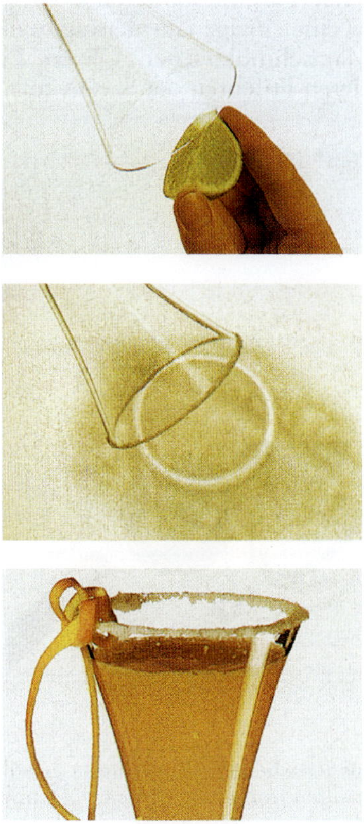

Salzrand

1 Glas umdrehen und den Glasrand mit einem Stück Limette oder Zitrone einreiben.
2 Glas in grobkörniges Salz tauchen und drehen, so daß das Salz haften bleibt.

TIP

Sie können frei nach Gusto auch andere Crustas ausprobieren. Versuchen Sie einmal eine Mischung aus gemahlenen Kaffeebohnen, Muskat und Kakao. Tropische Cocktails gewinnen durch Crustas aus frischgeriebener Kokosnuß.

GARNIERUNGEN

Garnierungen für Cocktails und Mix-Drinks müssen einfach, aber anregend und ansprechend sein. Sie sollten den Drink nicht erdrücken. Ganz allgemein werden erfrischende, größere Drinks meist reichlicher verziert als die stärkeren kleinen Cocktails, die nur eine einfache bzw. eine einzige Garnierung brauchen. Halten Sie eine Auswahl an Maraschinokirschen, Oliven, Zitronen, Limetten, Orangen oder anderen Früchten der Saison zum Garnieren bereit.

1 Zitronen- oder Orangenscheiben: Eine dünne Scheibe vom Rand her bis zur Mitte einschneiden und etwas öffnen. So kann man sie auf den Glasrand stecken - oder aber im Drink selbst servieren. Es ist auch möglich, Scheiben von zwei verschiedenen Zitrusfrüchten zusammen zu servieren.

2 Zum Ausschneiden einer Spirale aus Zitrusfrüchteschalen ein Obst- oder Gemüseschälmesser nehmen und mit einer kreisförmigen Bewegung einen Streifen der Schale herunterschneiden. Nicht bis in die bittere weiße Haut hineinschneiden!

3 Geknotete Streifen von Zitrusfruchtschalen geben abendlichen Aperitifs eine spezielle Note. Die Streifen nehmen und in jeden Streifen einen Knoten machen; umgehend verwenden!

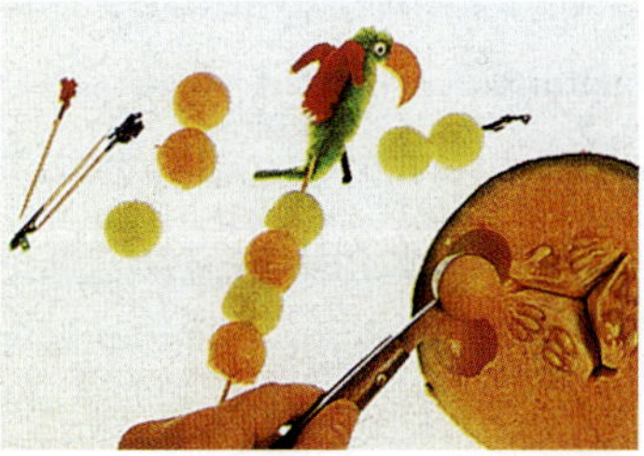

4 Auch Melonenbällchen geben eine wunderschöne Garnierung ab. Nehmen Sie einen Melonen-Kugelschneider (oder Löffel) und farbige Melonen; Sie erhalten eine ganz besondere Verzierung.

5 Ananasscheiben oder -stücke nimmt man zum Garnieren von Bowlen und kühlen Longdrinks. Die Außenhaut bleibt an den Ananasstücken; sie verleiht dem Ganzen Farbe und Struktur. Verschönern Sie die Drinks mit Ananasblättern und Kirschen. Kirschen und Blätter mit Zahnstochern an den Ananasstücken feststecken.

6 Kiwis, Karambole, Bananen und andere Tropenfrüchte lassen sich in Scheiben schneiden, in Zitronensaft tunken, und dann auf Spießen im oder neben dem Servierglas servieren.

7 Erdbeeren sind eine ideale Dekoration für Ihre Drinks. Wählen Sie feste Qualitätserdbeeren mit ansprechender Farbe und hübschen, grünen Blättern am Stiel. Die Erdbeere von unten her einschneiden, so daß sie auf den Glasrand gesteckt werden kann. Man kann die Erdbeeren auch auf ein Cocktailspießchen stecken und es quer über den Glasrand legen.

INDEX